Enciende y apaga

SOPA DE CUENTOS

A Zuca, Lucas y Pedro, mis tres hijos. (Camila)
A la abuela Nádia y al abuelo Miguel. (Marcelo)

Título original: *Liga-Desliga*

© Del texto: Camila Franco y Marcelo Pires, 1992
© De las ilustraciones: Ximena Maier, 2007
© De la traducción: Mario Merlino, 2007
© De esta edición: Grupo Anaya, S.A., 2007
Juan Ignacio Luca de Tena, 15. 28027 Madrid
www.anayainfantilyjuvenil.com
e-mail: anayainfantilyjuvenil@anaya.es

Primera edición, marzo 2007

Diseño: Manuel Estrada

ISBN: 978-84-667-6262-5
Depósito legal: M. 8728/2007

Impreso en Gráficas AGA
Polígono Industrial Los Ángeles
C/ Herreros, 46
28906 Getafe (Madrid)
Impreso en España - Printed in Spain

Las normas ortográficas seguidas en este libro
son las establecidas por la Real Academia Española
en su última edición de la *Ortografía*, del año 1999.

Camila Franco y Marcelo Pires

Enciende y apaga

Ilustraciones de Ximena Maier

ANAYA

Había una vez un televisor que no se movía. Estaba siempre frente a un niño. Todos los días y a todas horas.

Ya no jugaba en la calle con sus amigos
televisores. Se quedaba en el salón,
sin cambiar de canal. Siempre delante
del mismo niño.

Su Mamisubishi siempre le decía:
—Apaga a ese niño, Tele.
Tele era el apodo que le daban en casa.
Y Tele, como si nada.

Su Papasonic era más enérgico.
Cuando llegaba a casa, entraba
en el salón y apagaba al niño.
Pero Tele lloraba a mares, y su
Papasonic no tenía más remedio
que encender al niño de nuevo.

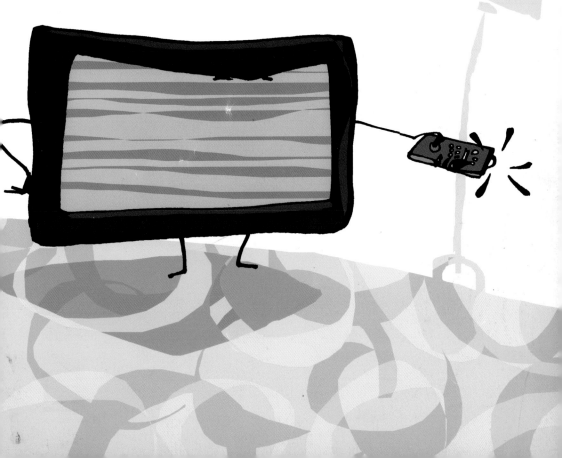

Todas las noches, Tele quería
quedarse hasta tarde viendo al niño.
Pero Mamisubishi decía que eso no era
bueno, porque los niños ponían muchas
escenas de violencia, y Tele solo tenía
catorce pulgadas.

Además, por la noche Tele no
se apagaría, del miedo tremendo
que tendría.

Así que, un poco a regañadientes,
Tele se iba a su habitación, a apagarse
temprano, pensando en qué le pasaría
mañana al niño.

Un día, al niño le regalaron una pelota.
Y cuando Tele fue al salón, después de
desayunar un batido de pilas con fusibles,
el niño ya no estaba allí.

Tele no supo qué hacer. ¿Qué podría
ver ahora? Se dirigió a la ventana,
y observó, en vivo y en directo,
el mundo exterior. Allí descubrió
al niño, que estaba jugando a la pelota
con sus amigos.

Aquella noche, Tele le pidió
a su Papasonic que llevase al niño
al taller de reparaciones. Y Papasonic
así lo hizo, pero no sirvió de nada.

El técnico dijo que aquel niño ya no
tenía arreglo. La pelota había sido
una interferencia muy fuerte.

Nadie sabía cómo consolar a Tele.
Ya no podía ver al niño todo el día,
ahora tenía que esperar a que el niño
dejase de jugar a la pelota.

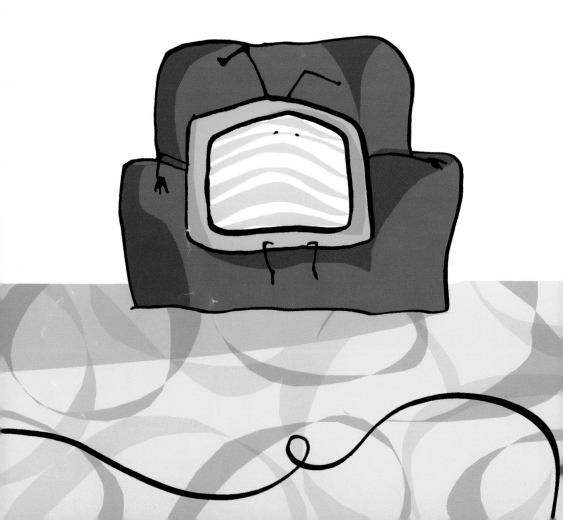

Pero tanto tuvo que esperar,
que también Tele se puso a jugar.

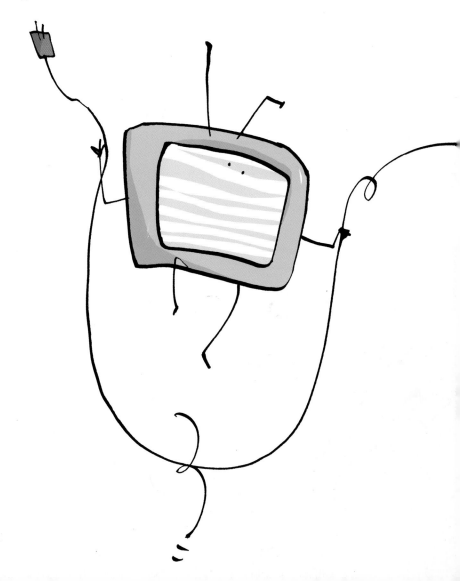

No jugaba solo: se reunió con otros
televisores del barrio que también
se habían quedado sin niño.

Intercambiaban imágenes, imitaban
a personas famosas, y encendían
y apagaban, encendían y apagaban,
encendían y apagaban...

Uno de esos días Tele conoció
a Televina, una televisión vecina
en quien nunca se había fijado.
Claro, Tele solo tenía botones
para el niño.

Ahora, todos los televisores se pasaban el día haciendo programas. Programas deportivos, programas infantiles, incluso programas culturales.

Y el niño, gracias al cambio de vida de Tele, descubrió otros pasatiempos y otras actividades, además de jugar a la pelota.

Tele solo miraba al niño después
de la escuela y antes de la ducha.
Pero también cuando pasaban
cosas extraordinarias en el niño.
Pues Tele tampoco era de piedra, ¿no?

Por eso, si tu televisor te mira mucho,
y se pasa la vida dentro de casa sin hacer
ejercicio o sin tomar el sol, dile:

—Tele, por favor, ¿por qué no te apagas
un poquito?

Al principio, Tele y tú os sentiréis
extraños y os echaréis mucho de menos.
Pero después, cuando os encontréis
al final del día, será mejor que antes.

Vais a llegar a casa con un montón
de cosas nuevas que contar. Y tú,
que no has tenido necesidad de quedarte
quieto como un mueble para que tu
televisor te mire, ahora podrás prestarle
toda la atención que se merece.

Y cuando tú crezcas y tu televisor crezca, habréis vivido tantas cosas, juntos y por separado, que os sobrarán aventuras para grabar, ¿por qué no?, una película.